하루 한 장 75일

지즈 완성

교과 연산

P2

7세~초1 9까지의 덧셈과 뺄셈

변화를 정확히 이해해야 합니다.

수학의 기본이면서 이제는 필수가 된 연산 학습, 그런데 왜 우리 아이들은 많은 학습지를 풀고도 학교에 가면 연산 문제를 해결하지 못할까요?

지금 우리 아이들이 학습하는 교과서는 과거와는 많이 다릅니다. 단순 계산력을 확인하는 문제 대신 다양한 상황을 제시하고 상황에 맞게 문제를 해결하는 과정을 평가합니다. 그래서 단순히 계산하여 답을 내는 것보다 문장을 이해하고 상황을 판단하여 스스로 식을 세우고 문제를 해결하는 복합적인 사고 과정이 필요합니다.

그림을 보고 상황을 판단하는 능력, 그림을 보고 상황을 말로 표현하는 능력, 문장을 이해하는 능력 등 상황 판단 능력을 길러야 하는 이유입니다.

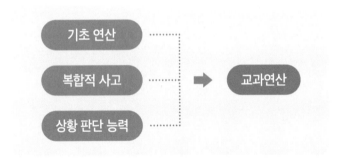

연산 원리를 학습함에 있어서도 대표적인 하나의 풀이 방법을 공식처럼 외우기만 해서는 지금의 연산 문제를 해결하기 어렵습니다. 연산 학습과 함께 다양한 방법으로 수를 분해하고 결합하는 과정, 즉 수 자체에 대한 학습도 병행되어야 합니다.

교과연산은 연산 학습과 함께 수 자체를 온전히 학습할 수 있도록 단계마다 '수특강'을 구성하고 있습니다.

계산은 문제를 해결하는 하나의 과정으로서의 의미가 큽니다.

학교에서 배우게 될 내용과 직접적으로 관련이 있는 교과연산으로 가장 먼저 시작하기를 추천드립니다.

요즘 연산은 교과 연산입니다.

"계산은 그 자체가 목적이 아닙니다. 문제를 해결하는 하나의 과정입니다."

하루 **한** 장, 75일에 완성하는 **교과연산**

한 단계는 총 4권으로 수를 학습하는 0권과 연산을 학습하는 1권, 2권, 3권으로 구성되어 있습니다.

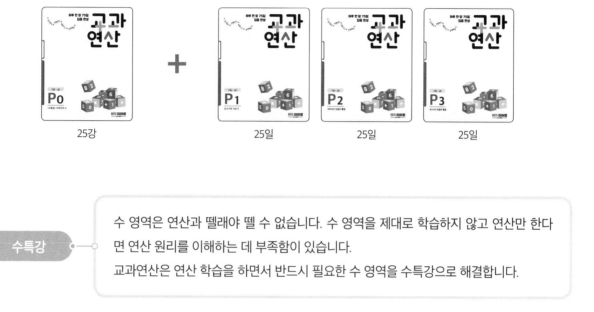

수특강

> 수 영역은 연산과 뗄래야 뗄 수 없습니다. 수 영역을 제대로 학습하지 않고 연산만 한다면 연산 원리를 이해하는 데 부족함이 있습니다.
> 교과연산은 연산 학습을 하면서 반드시 필요한 수 영역을 수특강으로 해결합니다.

교과연산

> 기초 연산도 합니다. 연산 원리를 이해하고 계산 연습도 합니다. 그에 더해서 교과연산은 다양한 상황 문제를 제시하여 상황에 맞는 식을 세우고 문제를 해결하는 상황 판단 능력을 길러줍니다.

"연산을 이해하기 위해서는 수를 먼저 이해해야 합니다."

원리는 기본, 복합적 사고 문제까지 다루는 교과연산

원리
수와 연산의 원리를
이해하고 연습합니다.

복합적 사고
연산 원리를 이용하여
다양한 소재의 복합적
문제를 해결합니다.

상황 판단 문제
문장 이해력을 기르고
상황에 맞는 식을 세워
문제를 해결합니다.

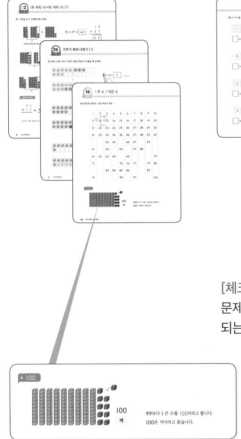

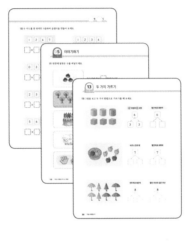

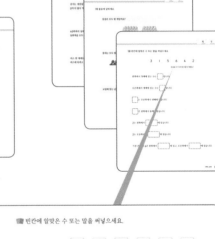

[체크 박스]
문제를 해결하는 데 도움이
되는 방향을 제시합니다.

빈칸에 알맞은 수 또는 말을 써넣으세요.

| 3 | 1 | 5 | 6 | 4 | 2 |

순서수와 수 카드에 적힌 수를 잘 구분합니다.

[개념 포인트]
꼭 필요한 기본 개념을
설명합니다.

> "교과연산은 꼬이고 꼬인 어려운 연산이 아닙니다.
> 일상 생활 속에서 상황을 판단하는 능력을 길러주는 연산입니다."

하루 **한** 장, 75일 집중 완성 교과연산 **묻고 답하기**

Q1 왜 교과연산인가요?

지금의 교과서는 과거의 교과서와는 많이 다릅니다. 하지만 아쉽게도 기존의 연산학습지는 과거의 연산 학습 방법을 그대로 답습하고 변화를 제대로 반영하지 못하고 있습니다. 교과연산은 교과서의 변화를 정확히 이해하고 체계적으로 학습을 할 수 있도록 안내합니다.

Q2 다른 연산 교재와 어떻게 다른가요?

교과연산은 변화된 교과서의 핵심 내용인 상황 판단 능력과 복합적 사고력을 길러주는 최신 연산 프로그램입니다. 또한 연산 학습의 바탕이 되는 '수'를 수특강으로 다루고 있어 수학의 기본이 되는 연산학습을 체계적으로 학습할 수 있습니다.

Q3 학교 진도와는 맞나요?

네, 교과연산은 학교 수업 진도와 최신 개정된 교과 단원에 맞추어 개발하였습니다.

Q4 단계 선택은 어떻게 해야 할까요?

권장 연령의 학습을 추천합니다.
다만, 처음 교과 연산을 시작하는 학생이라면 한 단계 낮추어 시작하는 것도 좋습니다.

Q5 '수특강'을 먼저 해야 하나요?

'수특강'을 가장 먼저 학습하는 것을 권장합니다. P단계를 예로 들어보면 P0(수특강)을 먼저 학습한 후 차례대로 P1~P3 학습을 진행합니다. '수특강'은 각 단계의 연산 원리와 개념을 정확하게 이해하고 상황 문제를 해결하는 데 디딤돌이 되어줄 것입니다.

이 책의 차례

1주차 (몇)+(몇)=(몇) (1)

그림 덧셈식

🔖 그림을 보고 덧셈을 해 보세요.

$3 + 1 = \boxed{4}$

3 더하기 1은 4와 같습니다.
3과 1의 합은 4입니다.

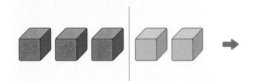 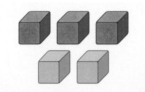

$3 + 2 = \boxed{}$

$2 + 1 = \boxed{}$

$2 + 2 = \boxed{}$

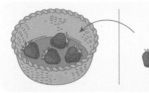 

$4 + 3 = \boxed{}$

덧셈식을 써 보세요.

$1 + 3 = \boxed{4}$

1 더하기 3은 4와 같습니다.
1과 3의 합은 4입니다.

$4 + 1 = \boxed{}$

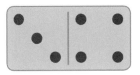

$3 + 4 = \boxed{}$

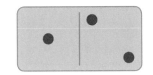

$1 + \boxed{} = \boxed{}$

$5 + \boxed{} = \boxed{}$

$2 + \boxed{} = \boxed{}$

$\boxed{} + \boxed{} = \boxed{}$

$\boxed{} + \boxed{} = \boxed{}$

$\boxed{} + \boxed{} = \boxed{}$

🔖 ○를 그려 덧셈을 해 보세요.

$$4 + 2 = \boxed{6}$$ 4개 그리고 2개 더 그리면
4하고 5, 6입니다.

$$3 + 4 = \boxed{}$$

$$5 + \boxed{} = \boxed{}$$

$$2 + \boxed{} = \boxed{}$$

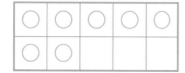

$$\boxed{} + \boxed{} = \boxed{}$$

$$\boxed{} + \boxed{} = \boxed{}$$

■ ○를 그려 덧셈을 해 보세요.

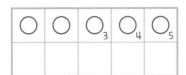

$3 + 2 = \boxed{5}$

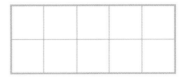

$6 + 1 = \boxed{}$

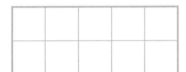

$5 + 4 = \boxed{}$

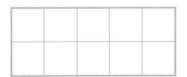

$3 + 3 = \boxed{}$

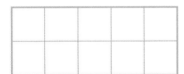

$1 + 4 = \boxed{}$

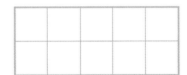

$5 + 2 = \boxed{}$

$7 + 1 = \boxed{}$

$3 + 6 = \boxed{}$

모으기와 덧셈

■ 모으기를 하고 덧셈을 해 보세요.

3과 1을 모으기 하면 4가 됩니다.
3과 1을 더하면 4가 됩니다.

$3 + 1 = \boxed{4}$

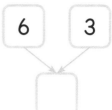

$6 + 3 = \boxed{}$

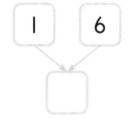

$1 + \boxed{} = \boxed{}$

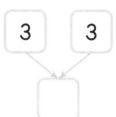

$3 + \boxed{} = \boxed{}$

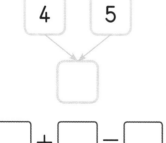

$\boxed{} + \boxed{} = \boxed{}$

$\boxed{} + \boxed{} = \boxed{}$

■ 덧셈을 해 보세요.

$1 + 2 =$ ☐

$5 + 1 =$ ☐

$4 + 3 =$ ☐

$1 + 4 =$ ☐

$6 + 2 =$ ☐

$2 + 2 =$ ☐

$2 + 7 =$ ☐

$2 + 5 =$ ☐

$6 + 1 =$ ☐

$4 + 4 =$ ☐

$2 + 4 =$ ☐

$3 + 6 =$ ☐

$5 + 3 =$ ☐

$1 + 8 =$ ☐

덧셈식 쓰기

빈칸에 알맞은 수를 쓰고 덧셈식을 써 보세요.

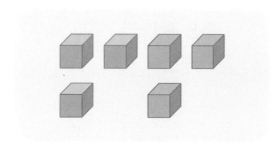

3 더하기 3은 6과 같습니다.

3과 3의 합은 6입니다.

식 $3 + 3 = 6$

6 더하기 2는 ☐과 같습니다.

6과 2의 합은 ☐입니다.

식 _____

5 더하기 ☐는 ☐와 같습니다.

☐와 ☐의 합은 ☐입니다.

식 _____

📖 그림을 보고 덧셈식을 써 보세요.

$$1 + 4 = 5$$

흰 꽃 1송이와 노란 꽃 4송이가 있습니다.
꽃은 모두 5송이입니다.

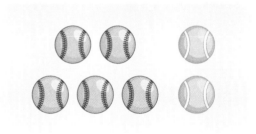

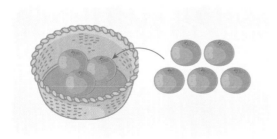

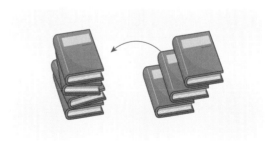

덧셈식 만들기

📘 빈칸에 알맞은 수를 쓰고 덧셈식을 써 보세요.

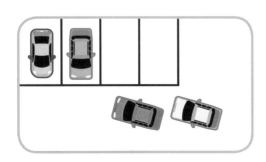

2 더하기 2는 4와 같습니다.
2와 2의 합은 4입니다.

주차장에 자동차가 **2**대 있는데 **2**대 더

들어와서 자동차는 모두 ☐대입니다.

☐ + ☐ = ☐

노란색 별이 ☐개, 파란색 별이 ☐개

있어서 별은 모두 ☐개입니다.

☐ + ☐ = ☐

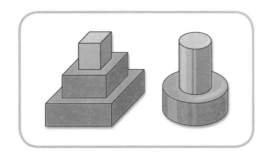

◻️모양이 ☐개, 🛢️모양이 ☐개

이므로 모양은 모두 ☐개입니다.

☐ + ☐ = ☐

■ 그림을 보고 덧셈식을 써 보세요.

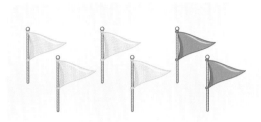

□ + □ = □

□ + □ = □

□ + □ = □

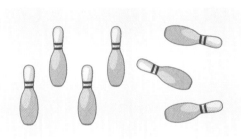

□ + □ = □

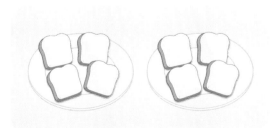

□ + □ = □

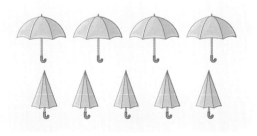

□ + □ = □

○를 더 그리고 그 수에 알맞게 덧셈식을 써 보세요.

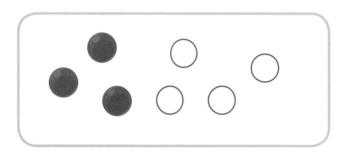

$3 + 4 = 7$

$\square + \square = \square$

$\square + \square = \square$

$\square + \square = \square$

2주차 (몇)-(몇)=(몇) (1)

31 그림 뺄셈식

🐚 그림을 보고 뺄셈을 해 보세요.

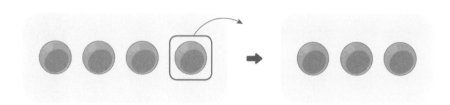

$4 - 1 = \boxed{3}$

4 빼기 1은 3과 같습니다.
4와 1의 차는 3입니다.

$5 - 2 = \boxed{}$

$6 - 4 = \boxed{}$

$5 - 4 = \boxed{}$

$6 - 3 = \boxed{}$

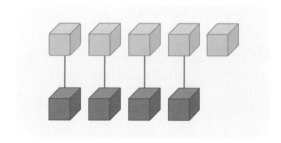

■ 뺄셈식을 써 보세요.

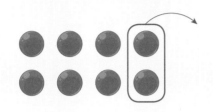

$$8 - 2 = \boxed{}$$

구슬 8개에서 2개를 빼면 6개 남습니다.

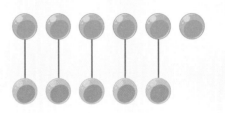

$$6 - 5 = \boxed{}$$

주황색 구슬은 연두색 구슬보다 1개 더 많습니다.

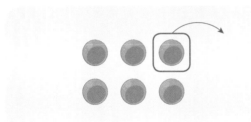

$$6 - \boxed{} = \boxed{}$$

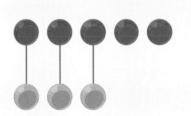

$$5 - \boxed{} = \boxed{}$$

$$\boxed{} - \boxed{} = \boxed{}$$

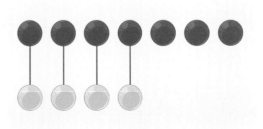

$$\boxed{} - \boxed{} = \boxed{}$$

32일 그려 뺄셈하기

남은 카드는 몇 개인지 ○과 /을 그려 뺄셈을 해 보세요.

○ ○ Ø Ø ○

$4 - 2 = \boxed{2}$

○ 4개를 그린 다음 ○ 2개를 /로 지웁니다.

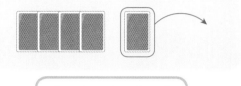

$5 - 1 = \boxed{}$

카드 5장에서 1장을 빼면 4장 남습니다.

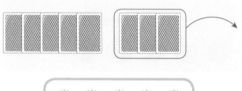

$8 - \boxed{} = \boxed{}$

$6 - \boxed{} = \boxed{}$

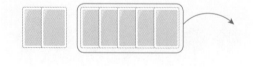

$\boxed{} - \boxed{} = \boxed{}$

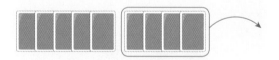

$\boxed{} - \boxed{} = \boxed{}$

파란색 구슬은 연두색 구슬보다 몇 개 더 많은지 그림을 그려 뺄셈을 해 보세요.

파란색 구슬과 연두색 구슬을
하나씩 연결합니다.

$$5 - 2 = \boxed{3}$$

파란색 구슬은 연두색 구슬
보다 4개 더 많습니다.

$$7 - 3 = \boxed{}$$

$$6 - \boxed{} = \boxed{}$$

$$9 - \boxed{} = \boxed{}$$

$$\boxed{} - \boxed{} = \boxed{}$$

$$\boxed{} - \boxed{} = \boxed{}$$

가르기와 뺄셈

🔷 빈칸에 알맞은 수를 쓰고 뺄셈을 해 보세요.

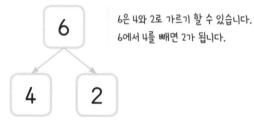

6은 4와 2로 가르기 할 수 있습니다.
6에서 4를 빼면 2가 됩니다.

$6 - 4 = \boxed{2}$

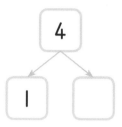

$4 - 1 = \boxed{}$

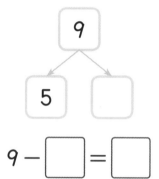

$9 - \boxed{} = \boxed{}$

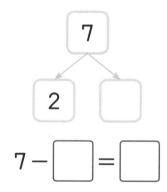

$7 - \boxed{} = \boxed{}$

$\boxed{} - \boxed{} = \boxed{}$

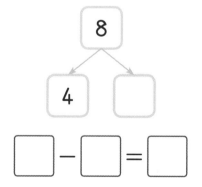

$\boxed{} - \boxed{} = \boxed{}$

📖 뺄셈을 해 보세요.

$4 - 2 = \boxed{}$

$6 - 3 = \boxed{}$

$9 - 1 = \boxed{}$

$7 - 3 = \boxed{}$

$8 - 2 = \boxed{}$

$5 - 4 = \boxed{}$

$6 - 2 = \boxed{}$

$9 - 3 = \boxed{}$

$8 - 5 = \boxed{}$

$3 - 1 = \boxed{}$

$7 - 6 = \boxed{}$

$9 - 4 = \boxed{}$

$5 - 2 = \boxed{}$

$8 - 1 = \boxed{}$

34 일 뺄셈식 쓰기

빈칸에 알맞은 수를 쓰고 뺄셈식을 써 보세요.

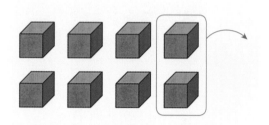

8 빼기 2는 6과 같습니다.

8과 2의 차는 6입니다.

식 $8 - 2 = 6$

---

6 빼기 5는 ☐과 같습니다.

6과 5의 차는 ☐입니다.

식 _____

---

6 빼기 ☐은 ☐과 같습니다.

☐과 ☐의 차는 ☐입니다.

식 _____

그림을 보고 뺄셈식을 써 보세요.

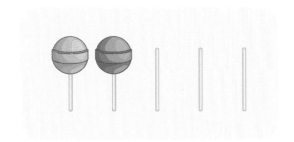

$$5 - 3 = 2$$

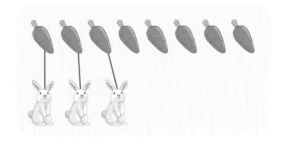

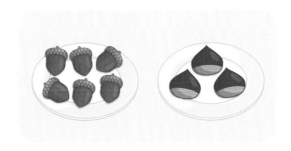

35일 뺄셈식 만들기

🟦 빈칸에 알맞은 수를 쓰고 뺄셈식을 써 보세요.

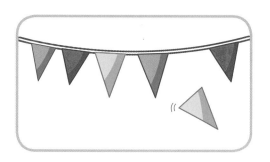

6 빼기 1은 5와 같습니다.
6과 1의 차는 5입니다.

깃발 **6**개가 달려 있었는데 **1**개가 떨어져서

남은 깃발은 ⬜개입니다.

⬜ − ⬜ = ⬜

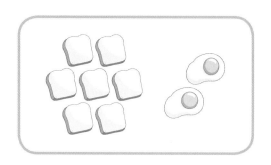

식빵이 ⬜개, 달걀이 ⬜개 있어서

식빵은 달걀보다 ⬜개 더 많습니다.

⬜ − ⬜ = ⬜

자동차가 **8**대 있는데 주황색 자동차가 ⬜대

이므로 노란색 자동차는 ⬜대입니다.

⬜ − ⬜ = ⬜

그림을 보고 뺄셈식을 써 보세요.

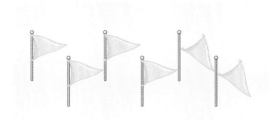

$$\boxed{} - \boxed{} = \boxed{}$$

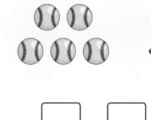

$$\boxed{} - \boxed{} = \boxed{}$$

$$\boxed{} - \boxed{} = \boxed{}$$

$$\boxed{} - \boxed{} = \boxed{}$$

$$\boxed{} - \boxed{} = \boxed{}$$

$$\boxed{} - \boxed{} = \boxed{}$$

／로 구슬 몇 개를 지우고 그 수에 알맞게 뺄셈식을 써 보세요.

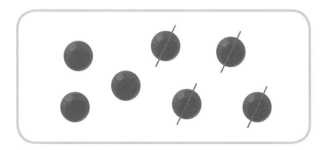

$7 - 4 = 3$

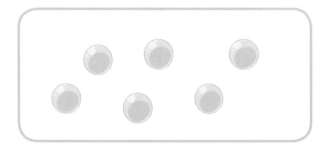

$\square - \square = \square$

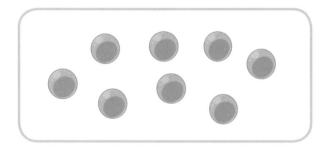

$\square - \square = \square$

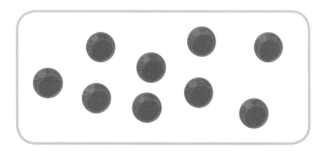

$\square - \square = \square$

3주차 (몇)+(몇)=(몇) (2)

0이 있는 덧셈

■ 빈칸에 알맞은 수를 쓰고 덧셈을 해 보세요.

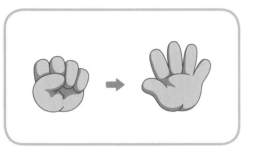

0에 어떤 수를 더해도 합은 같습니다.

손가락을 하나도 펼치지 않았다가 **5**개를

펼쳤더니 펼친 손가락은 모두 ☐ 개입니다.

$$0 + 5 = \boxed{}$$

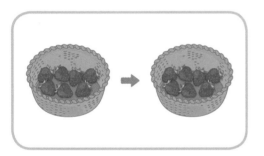

어떤 수에 0을 더해도 합은 같습니다.

바구니에 딸기 **7**개가 있는데 딸기를 더

넣지 않아서 딸기는 모두 ☐ 개입니다.

$$7 + 0 = \boxed{}$$

가지가 왼쪽 접시에 ☐ 개, 오른쪽 접시에

없으므로 가지는 모두 ☐ 개입니다.

$$\boxed{} + \boxed{} = \boxed{}$$

덧셈을 해 보세요.

$2 + 0 = \boxed{}$

$1 + \boxed{} = 1$

$0 + 7 = \boxed{}$

$0 + \boxed{} = 6$

$9 + 0 = \boxed{}$

$3 + \boxed{} = 3$

$0 + 5 = \boxed{}$

$0 + \boxed{} = 9$

$3 + 0 = \boxed{}$

$\boxed{} + 8 = 8$

$0 + 7 = \boxed{}$

$\boxed{} + 0 = 4$

$8 + 0 = \boxed{}$

$\boxed{} + 2 = 2$

연속 덧셈

덧셈을 해 보세요.

$3 + 1 = \boxed{}$

$3 + 2 = \boxed{}$

$3 + 3 = \boxed{}$

$3 + 4 = \boxed{}$

더하는 수가 1씩 커지면 합도 1씩 커집니다.

$0 + 6 = \boxed{}$

$1 + 6 = \boxed{}$

$2 + 6 = \boxed{}$

$3 + 6 = \boxed{}$

$1 + 5 = \boxed{}$

$2 + 4 = \boxed{}$

$3 + 3 = \boxed{}$

$4 + 2 = \boxed{}$

$5 + 1 = \boxed{}$

앞의 더해지는 수가 1 커지고
뒤의 더하는 수가 1 작아지면 합은 같습니다.

$7 + 0 = \boxed{}$

$6 + 1 = \boxed{}$

$5 + 2 = \boxed{}$

$4 + 3 = \boxed{}$

$3 + 4 = \boxed{}$

덧셈을 해 보세요.

+	1	2
3	4 (3+1)	5 (3+2)
4	5 (4+1)	6 (4+2)

+	2	3
3	5	
4		7

+	6	7
1		
2		

+	3	2
3	6	
2	5	

+	5	4
4		8
3	8	

+	6	5
2		
1		

+	2	3	4
2		5	
3			7
4	6		

+	1	2	3
4	5		
5			8
6		8	

합이 같은 것끼리 이어 보세요.

3+4 ·	· 0+6	1+2 ·	· 1+4
3+3 ·	· 4+1	3+1 ·	· 3+0
2+3 ·	· 5+2	3+2 ·	· 2+2

4+4 ·	· 5+4	7+2 ·	· 8+1
7+0 ·	· 6+1	4+3 ·	· 2+6
3+6 ·	· 1+7	5+3 ·	· 2+5

■ 합이 같은 덧셈식을 써 보세요.

$4 + 1 = \boxed{}$

$3 + 2 = \boxed{}$

$\boxed{} + \boxed{} = \boxed{}$

$\boxed{} + \boxed{} = \boxed{}$

$5 + 3 = \boxed{}$

$4 + 4 = \boxed{}$

$\boxed{} + \boxed{} = \boxed{}$

$\boxed{} + \boxed{} = \boxed{}$

$1 + 5 = \boxed{}$

$2 + 4 = \boxed{}$

$\boxed{} + \boxed{} = \boxed{}$

$\boxed{} + \boxed{} = \boxed{}$

$3 + 6 = \boxed{}$

$4 + 5 = \boxed{}$

$\boxed{} + \boxed{} = \boxed{}$

$\boxed{} + \boxed{} = \boxed{}$

식 완성하기

수 카드 중 2장을 골라 써넣어 덧셈식을 완성해 보세요.

| 3 | 4 | 2 |

$$\boxed{3} + \boxed{2} = 5$$

| 1 | 4 | 5 |

$$\boxed{} + \boxed{} = 6$$

| 6 | 2 | 3 |

$$\boxed{} + \boxed{} = 8$$

| 2 | 3 | 2 |

$$\boxed{} + \boxed{} = 4$$

| 8 | 1 | 2 |

$$\boxed{} + \boxed{} = 9$$

| 2 | 3 | 5 |

$$\boxed{} + \boxed{} = 7$$

| 4 | 5 | 3 |

$$\boxed{} + \boxed{} = 8$$

| 4 | 3 | 5 |

$$\boxed{} + \boxed{} = 9$$

수 카드에 적힌 수를 한 번씩 써넣어 덧셈식 2개를 완성해 보세요.

$\boxed{1}$ $\boxed{2}$ $\boxed{3}$ $\boxed{4}$

$\boxed{1} + \boxed{4} = 5$

$\boxed{} + \boxed{} = 5$

$\boxed{2}$ $\boxed{3}$ $\boxed{4}$ $\boxed{5}$

$\boxed{} + \boxed{} = 7$

$\boxed{} + \boxed{} = 7$

$\boxed{1}$ $\boxed{3}$ $\boxed{6}$ $\boxed{3}$

$\boxed{} + \boxed{} = 6$

$\boxed{} + \boxed{} = 7$

$\boxed{3}$ $\boxed{7}$ $\boxed{1}$ $\boxed{6}$

$\boxed{} + \boxed{} = 8$

$\boxed{} + \boxed{} = 9$

$\boxed{4}$ $\boxed{1}$ $\boxed{4}$ $\boxed{5}$

$\boxed{} + \boxed{} = 6$

$\boxed{} + \boxed{} = 8$

$\boxed{2}$ $\boxed{4}$ $\boxed{3}$ $\boxed{7}$

$\boxed{} + \boxed{} = 7$

$\boxed{} + \boxed{} = 9$

물음에 답하세요.

바둑돌은 모두 몇 개일까요?

흰 바둑돌이 4개, 검은 바둑돌이 3개 있습니다.
바둑돌은 모두 7개 있습니다.

식 4 + ☐ = ☐   답 ☐ 개

펼친 손가락은 모두 몇 개일까요?

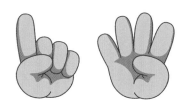

식 ☐ + ☐ = ☐   답 ☐ 개

화살을 과녁에 쏘았습니다. 과녁에 맞힌 점수는 몇 점일까요?

식 ☐ + ☐ = ☐   답 ☐ 점

📖 물음에 답하세요.

연못에 개구리 4마리가 있는데 개구리 1마리가 연못에 더 들어 왔습니다. 연못에 있는 개구리는 모두 몇 마리일까요?

식 $4 + 1 = \boxed{}$　　답 $\boxed{}$ 마리

재민이는 구슬을 3개 가지고 있고 민주는 5개 가지고 있습니다. 두 사람이 가진 구슬은 모두 몇 개일까요?

식 $\boxed{} + \boxed{} = \boxed{}$　　답 $\boxed{}$ 개

놀이터에서 미끄럼틀을 타는 어린이가 2명, 시소를 타는 어린이가 4명 있습니다. 미끄럼틀과 시소를 타는 어린이는 모두 몇 명일까요?

식 $\boxed{} + \boxed{} = \boxed{}$　　답 $\boxed{}$ 명

버스에 6명이 타고 있었는데 공원 앞 정류장에서 3명이 더 탔습니다. 버스에 탄 사람은 모두 몇 명일까요?

식 $\boxed{} + \boxed{} = \boxed{}$　　답 $\boxed{}$ 명

성주는 동화책을 어제 **5**쪽 읽고 오늘 **4**쪽 읽었습니다. 성주가 어제와 오늘 읽은 동화책은 모두 몇 쪽일까요?

식 ☐ + ☐ = ☐   답 ☐ 쪽

어머니께서 사 오신 귤을 **2**개 먹었더니 **6**개 남았습니다. 어머니께서 사 오신 귤은 모두 몇 개였을까요?

식 ☐ + ☐ = ☐   답 ☐ 개

7명이 탄 버스가 정류장에 섰는데 타는 사람이 아무도 없었습니다. 버스에 타고 있는 사람은 모두 몇 명일까요?

식 ☐ + ☐ = ☐   답 ☐ 명

아무도 타고 있지 않은 자동차에 **4**명이 탔습니다. 자동차에 타고 있는 사람은 모두 몇 명일까요?

식 ☐ + ☐ = ☐   답 ☐ 명

4주차 (몇)-(몇)=(몇) (2)

■ 빈칸에 알맞은 수를 쓰고 뺄셈을 해 보세요.

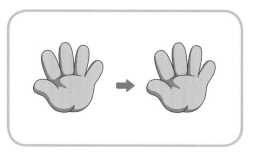

어떤 수에서 0을 빼도 차는 변하지 않습니다.

손가락 **5**개를 펼쳤다가 하나도 접지 않았습니다. 펼쳐져 있는 손가락은 [ ]개입니다.

$$5 - 0 = \boxed{}$$

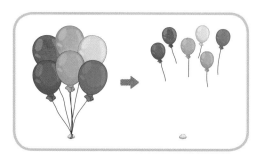

어떤 수에서 전체를 빼면 차는 0이 됩니다.

풍선 **6**개가 있었는데 **6**개 모두 날아갔습니다. 남은 풍선은 [ ]개입니다.

$$6 - 6 = \boxed{}$$

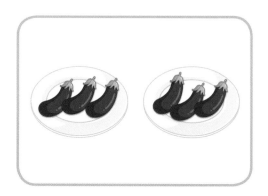

가지가 왼쪽 접시에 [ ]개, 오른쪽 접시에 [ ]개 있어서 두 접시에 있는 가지 수의 차는 [ ]입니다.

$$\boxed{} - \boxed{} = \boxed{}$$

빼셈을 해 보세요.

$1 - 0 = \boxed{}$

$3 - 3 = \boxed{}$

$9 - 0 = \boxed{}$

$9 - 9 = \boxed{}$

$5 - 0 = \boxed{}$

$4 - 4 = \boxed{}$

$7 - 0 = \boxed{}$

$4 - \boxed{} = 4$

$7 - \boxed{} = 0$

$8 - \boxed{} = 8$

$5 - \boxed{} = 0$

$\boxed{} - 0 = 2$

$\boxed{} - 8 = 0$

$\boxed{} - 0 = 3$

연속 뺄셈

📑 뺄셈을 해 보세요.

$4 - 0 = \boxed{}$

$4 - 1 = \boxed{}$

$4 - 2 = \boxed{}$

$4 - 3 = \boxed{}$

빼는 수가 1씩 커지면 차는 1씩 작아집니다.

$9 - 9 = \boxed{}$

$9 - 8 = \boxed{}$

$9 - 7 = \boxed{}$

$9 - 6 = \boxed{}$

빼는 수가 1씩 작아지면 차는 1씩 커집니다.

$3 - 1 = \boxed{}$

$4 - 2 = \boxed{}$

$5 - 3 = \boxed{}$

$6 - 4 = \boxed{}$

$7 - 5 = \boxed{}$

앞의 빼지는 수와 뒤의 빼는 수를 똑같이
크게 하면 차는 변하지 않습니다.

$9 - 4 = \boxed{}$

$8 - 3 = \boxed{}$

$7 - 2 = \boxed{}$

$6 - 1 = \boxed{}$

$5 - 0 = \boxed{}$

■ 뺄셈을 해 보세요.

−	1	2
3	2 (3-1)	1 (3-2)
4	3 (4-1)	2 (4-2)

−	2	3
5	3	
6		3

−	3	4
8		
9		

−	2	1
3	1	
2	0	

−	5	4
7		3
6	1	

−	3	2
9		
8		

−	1	2	3
7		5	
8			5
9	8		

−	3	4	5
5	2		
6			1
7		3	

차가 같은 뺄셈식

차가 같은 것 또는 합과 차가 같은 것끼리 이어 보세요.

3 − 1 ·	· 4 − 3	5 − 0 ·	· 8 − 2
6 − 5 ·	· 5 − 3	8 − 1 ·	· 9 − 2
5 − 2 ·	· 6 − 3	9 − 3 ·	· 9 − 4

1 + 3 ·	· 6 − 0	3 + 4 ·	· 7 − 2
3 + 3 ·	· 8 − 3	2 + 3 ·	· 9 − 0
0 + 5 ·	· 6 − 2	1 + 8 ·	· 8 − 1

차가 같은 뺄셈식을 써 보세요.

$5 - 1 = \boxed{}$

$6 - 2 = \boxed{}$

$\boxed{} - \boxed{} = \boxed{}$

$\boxed{} - \boxed{} = \boxed{}$

$8 - 3 = \boxed{}$

$7 - 2 = \boxed{}$

$\boxed{} - \boxed{} = \boxed{}$

$\boxed{} - \boxed{} = \boxed{}$

$9 - 7 = \boxed{}$

$8 - 6 = \boxed{}$

$\boxed{} - \boxed{} = \boxed{}$

$\boxed{} - \boxed{} = \boxed{}$

$6 - 3 = \boxed{}$

$7 - 4 = \boxed{}$

$\boxed{} - \boxed{} = \boxed{}$

$\boxed{} - \boxed{} = \boxed{}$

식 완성하기

수 카드 중 2장을 골라 써넣어 뺄셈식을 완성해 보세요.

| 1 | 3 | 6 |

$$6 - 1 = 5$$

| 2 | 4 | 8 |

$$\boxed{} - \boxed{} = 4$$

| 8 | 4 | 5 |

$$\boxed{} - \boxed{} = 3$$

| 8 | 9 | 6 |

$$\boxed{} - \boxed{} = 1$$

| 2 | 6 | 9 |

$$\boxed{} - \boxed{} = 7$$

| 1 | 7 | 8 |

$$\boxed{} - \boxed{} = 6$$

| 7 | 3 | 4 |

$$\boxed{} - \boxed{} = 4$$

| 4 | 9 | 6 |

$$\boxed{} - \boxed{} = 5$$

■ 수 카드에 적힌 수를 한 번씩 써넣어 뺄셈식 2개를 완성해 보세요.

| 2 | 3 | 5 | 6 |

6 − 3 = 3

□ − □ = 3

| 4 | 5 | 8 | 9 |

□ − □ = 4

□ − □ = 4

| 2 | 8 | 1 | 6 |

□ − □ = 5

□ − □ = 6

| 4 | 5 | 5 | 7 |

□ − □ = 1

□ − □ = 2

| 3 | 4 | 5 | 8 |

□ − □ = 2

□ − □ = 4

| 2 | 3 | 8 | 9 |

□ − □ = 5

□ − □ = 7

📘 물음에 답하세요.

터지지 않고 남은 풍선은 몇 개일까요?

풍선 7개가 있었는데 2개가 터져서
남은 풍선은 5개입니다.

식 $7 - \boxed{} = \boxed{}$ 답 $\boxed{}$ 개

흰 바둑돌은 검은 바둑돌보다 몇 개 더 많을까요?

식 $\boxed{} - \boxed{} = \boxed{}$ 답 $\boxed{}$ 개

전체 깃발 중에서 빨간색 깃발은 몇 개일까요?

전체 깃발 중 파란색 깃발을 빼면
남은 것은 빨간색 깃발입니다.

식 $\boxed{} - \boxed{} = \boxed{}$ 답 $\boxed{}$ 개

💬 물음에 답하세요.

사탕 5개가 있었는데 4개를 먹었습니다. 남은 사탕은 몇 개일까요?

식 | 5 | − | 4 | = | ☐ | 답 | ☐ |개

색종이 8장이 있었는데 5장으로 종이비행기를 접었습니다. 남은 색종이는 몇 장일까요?

식 | ☐ | − | ☐ | = | ☐ | 답 | ☐ |장

수찬이는 연필 7자루를 가지고 있고 한영이는 3자루를 가지고 있습니다. 수찬이는 한영이보다 연필 몇 자루를 더 가지고 있을까요?

식 | ☐ | − | ☐ | = | ☐ | 답 | ☐ |자루

우산을 쓰고 있는 사람은 9명, 비옷을 입고 있는 사람은 4명입니다. 우산을 쓴 사람은 비옷을 입은 사람보다 몇 명 더 많을까요?

식 | ☐ | − | ☐ | = | ☐ | 답 | ☐ |명

🂠 물음에 답하세요.

버스에 **9**명이 타고 있었는데 학교 앞 정류장에서 **7**명이 내렸습니다. 버스에 남은 사람은 몇 명일까요?

식 ☐ − ☐ = ☐   답 ☐ 명

노란색과 초록색 색종이가 모두 **7**장 있습니다. 노란색 색종이가 **1**장이라면 초록색 색종이는 몇 장일까요?

식 ☐ − ☐ = ☐   답 ☐ 장

5명이 탄 버스가 정류장에 섰는데 내리는 사람이 아무도 없었습니다. 버스에 남은 사람은 몇 명일까요?

식 ☐ − ☐ = ☐   답 ☐ 명

버스에 **8**명이 타고 있었는데 마지막 정류장에서 **8**명이 모두 내렸습니다. 버스에 남은 사람은 몇 명일까요?

식 ☐ − ☐ = ☐   답 ☐ 명

5주차

덧셈과 뺄셈

두 수의 합과 차

📖 두 수의 합과 차를 구해 보세요.

6	2

차는 큰 수에서 작은 수를 빼야 합니다.

합 | 차
8 |

6+2=8   6-2=4

5	4

합 | 차

7	1

합 | 차

3	4

합 | 차

3	5

합 | 차

2	7

합 | 차

🔖 빈칸에 + 또는 −를 알맞게 써넣으세요.

$6 \boxed{} 2 = 4$　　　　　　$3 \boxed{} 5 = 8$

$7 \boxed{} 2 = 9$　　　　　　$6 \boxed{} 3 = 3$

$0 \boxed{} 4 = 4$　　　　　　$8 \boxed{} 3 = 5$

$3 \boxed{} 3 = 0$　　　　　　$2 \boxed{} 2 = 4$

$1 \boxed{} 8 = 9$　　　　　　$7 \boxed{} 3 = 4$

$9 \boxed{} 4 = 5$　　　　　　$5 \boxed{} 1 = 6$

$2 \boxed{} 1 = 1$　　　　　　$6 \boxed{} 3 = 3$

식 만들기

■ 세 수를 모두 이용하여 덧셈식과 뺄셈식을 하나씩 써 보세요.

3
7 4

$3 + 4 = 7$ ☐ $-$ ☐ $=$ ☐

2
6 8

☐ $+$ ☐ $=$ ☐ ☐ $-$ ☐ $=$ ☐

9
3 6

☐ $+$ ☐ $=$ ☐ ☐ $-$ ☐ $=$ ☐

6
1 5

☐ $+$ ☐ $=$ ☐ ☐ $-$ ☐ $=$ ☐

📖 세 수를 모두 이용하여 덧셈식과 뺄셈식을 하나씩 써 보세요.

8
7 1

☐ + ☐ = ☐   ☐ − ☐ = ☐

2
5 3

☐ + ☐ = ☐   ☐ − ☐ = ☐

2
5 7

☐ + ☐ = ☐   ☐ − ☐ = ☐

9
4 5

☐ + ☐ = ☐   ☐ − ☐ = ☐

합과 차가 크고 작은 식

■ 계산 결과가 가장 큰 식에 ○표 하세요.

3 + 1	5 + 2	5 + 3
3 + 3	6 + 2	6 + 1
3 + 2	7 + 2	4 + 2

5 − 1	8 − 3	9 − 7
5 − 3	7 − 3	7 − 2
5 − 2	9 − 3	6 − 3

1 + 5	3 + 4	6 − 5
9 − 4	8 − 3	2 + 1
8 − 1	2 + 2	5 − 1

■ 수 카드 중 2장을 골라 써넣어 주어진 식을 만들고 계산해 보세요.

1 3 6

큰 두 수를 더하면 합이 커집니다.
작은 두 수를 더하면 합이 작아집니다.

합이 가장 큰 덧셈식 $\boxed{6}+\boxed{3}=\underline{9}$

합이 가장 작은 덧셈식 $\boxed{}+\boxed{}=\underline{}$

4 2 3

합이 가장 큰 덧셈식 $\boxed{}+\boxed{}=\underline{}$

합이 가장 작은 덧셈식 $\boxed{}+\boxed{}=\underline{}$

1 5 8

큰 수에서 작은 수를 빼면 차가 커집니다.

차가 가장 큰 뺄셈식 $\boxed{}-\boxed{}=\underline{}$

3 2 9

차가 가장 큰 뺄셈식 $\boxed{}-\boxed{}=\underline{}$

이야기하기 (1)

🟦 빈칸에 알맞은 수를 쓰고 덧셈식과 뺄셈식을 써 보세요.

물이 든 컵은 **5**개, 주스가 든 컵은 **3**개입니다. 물이

든 컵은 주스가 든 컵보다 ☐ 개 더 많습니다.

☐ − ☐ = ☐

물이 든 컵은 ☐ 개, 주스가 든 컵은 ☐ 개

입니다. 컵은 모두 ☐ 개입니다.

☐ + ☐ = ☐

컵이 모두 ☐ 개 있는데 물이 든 컵이 ☐ 개

이므로 주스가 든 컵은 ☐ 개입니다.

☐ − ☐ = ☐

빈칸에 알맞은 수를 쓰고 덧셈식과 뺄셈식을 써 보세요.

풍선이 **7**개 있었는데 ☐개가 터졌습니다.

남은 풍선은 ☐개입니다.

☐ − ☐ = ☐

터진 풍선은 ☐개, 터지지 않은 풍선은 ☐개

입니다. 처음에 풍선은 모두 ☐개 있었습니다.

☐ + ☐ = ☐

터지지 않은 풍선은 **4**개, 터진 풍선은 ☐개로 터지

지 않은 풍선은 터진 풍선보다 ☐개 더 많습니다.

☐ − ☐ = ☐

물음에 답하세요.

바둑돌은 모두 몇 개일까요?

흰 바둑돌은 4개,
검은 바둑돌은 5개 있습니다.
바둑돌은 모두 9개 있습니다.

식 $4 + 5 = 9$ 답 9 개

검은 바둑돌은 흰 바둑돌보다 몇 개 더 많을까요?

식 _____   답 _____ 개

전체 바둑돌 중 흰 바둑돌은 몇 개일까요?

식 _____   답 _____ 개

물음에 답하세요.

배구공과 축구공은 모두 몇 개일까요?

식 _____   답 _____ 개

축구공과 농구공은 모두 몇 개일까요?

식 _____   답 _____ 개

배구공은 농구공보다 몇 개 더 많을까요?

식 _____   답 _____ 개

물음에 답하세요.

주아는 사탕을 **6**개, 민석이는 **3**개 가지고 있었는데 주아가 민석이에게 사탕 **2**개를 주었습니다. 주아와 민석이는 사탕을 각각 몇 개 가지게 될까요?

주아의 사탕은 2개 줄어들고,
민석이의 사탕은 2개 늘어납니다.

주아   식 $6 - 2 = 4$ 답   **4**   개

민석   식   답   개

개구리가 연못 안에 **4**마리, 연못 밖에 **5**마리 있었는데 **1**마리가 연못 안으로 들어왔습니다. 연못 안과 밖에 개구리는 각각 몇 마리 있게 될까요?

안   식   답   마리

밖   식   답   마리

사과가 상자 안에 **9**개 있고 봉지에는 하나도 없습니다. 상자 안에 있는 사과 **3**개를 봉지에 담았습니다. 상자와 봉지에는 사과가 각각 몇 개 있게 될까요?

상자   식   답   개

봉지   식   답   개

교과 연산

연산원리 · 상황판단 · 복합사고 · 문제해결

정답

7세~초1

P2

9까지의 덧셈과 뺄셈

에듀히어로
Edu HERO

정답

26일 그림 덧셈식

월 일

📖 그림을 보고 덧셈을 해 보세요.

$3 + 1 = \boxed{4}$

3 더하기 1은 4와 같습니다.
3과 1의 합은 4입니다.

$3 + 2 = \boxed{5}$

$2 + 1 = \boxed{3}$

$2 + 2 = \boxed{4}$

$4 + 3 = \boxed{7}$

📖 덧셈식을 써 보세요.

$1 + 3 = \boxed{4}$

$4 + 1 = \boxed{5}$

$3 + 4 = \boxed{7}$

1 더하기 3은 4와 같습니다.
1과 3의 합은 4입니다.

$1 + 2 = \boxed{3}$

$5 + 3 = \boxed{8}$

$2 + 7 = \boxed{9}$

$\boxed{3} + \boxed{3} = \boxed{6}$

$\boxed{6} + \boxed{3} = \boxed{9}$

$\boxed{4} + \boxed{4} = \boxed{8}$

8 교과연산 P2

1주차. (몇)+(몇)+(몇) (1) 9

27일 그려 덧셈하기

월 일

📖 ○를 그려 덧셈을 해 보세요.

$4 + 2 = \boxed{6}$

4개 그리고, 2개 더 그리면
4하고 5, 6입니다.

$3 + 4 = \boxed{7}$

$5 + \boxed{3} = \boxed{8}$

$2 + \boxed{3} = \boxed{5}$

$\boxed{7} + \boxed{2} = \boxed{9}$

$\boxed{4} + \boxed{4} = \boxed{8}$

📖 ○를 그려 덧셈을 해 보세요.

$3 + 2 = \boxed{5}$

$6 + 1 = \boxed{7}$

$5 + 4 = \boxed{9}$

$3 + 3 = \boxed{6}$

$1 + 4 = \boxed{5}$

$5 + 2 = \boxed{7}$

$7 + 1 = \boxed{8}$

$3 + 6 = \boxed{9}$

합만큼 ○를 그리면 정답입니다.

10 교과연산 P2

1주차. (몇)+(몇)+(몇) (1) 11

28 모으기와 덧셈

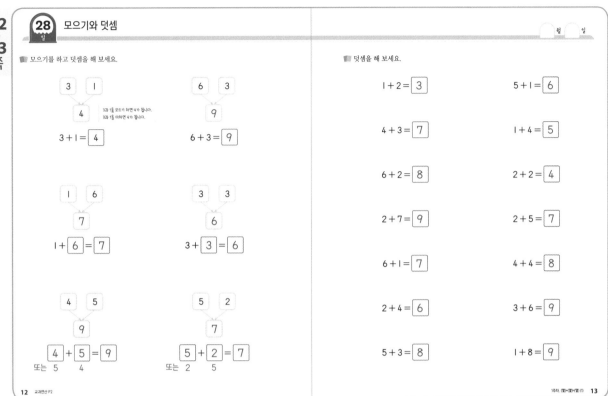

▥ 모으기를 하고 덧셈을 해 보세요.

| 3 | 1 |
| 4 |

3과 1을 모으기 하면 4가 됩니다.
3과 1을 더하면 4가 됩니다.

$3+1=4$

| 6 | 3 |
| 9 |

$6+3=9$

| 1 | 6 |
| 7 |

$1+6=7$

| 3 | 3 |
| 6 |

$3+3=6$

| 4 | 5 |
| 9 |

$4+5=9$ 또는 $5+4$

| 5 | 2 |
| 7 |

$5+2=7$ 또는 $2+5$

▥ 덧셈을 해 보세요.

$1+2=3$

$5+1=6$

$4+3=7$

$1+4=5$

$6+2=8$

$2+2=4$

$2+7=9$

$2+5=7$

$6+1=7$

$4+4=8$

$2+4=6$

$3+6=9$

$5+3=8$

$1+8=9$

29 덧셈식 쓰기

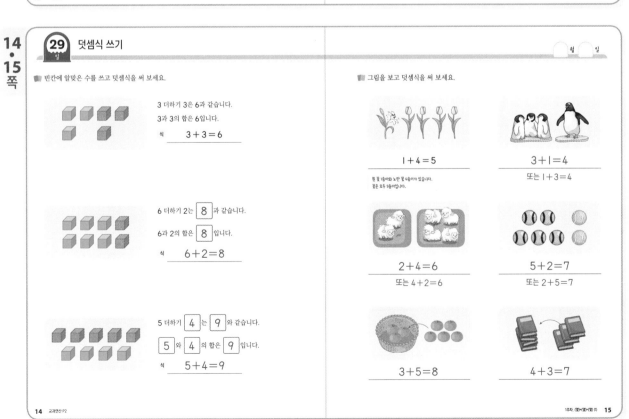

▥ 빈칸에 알맞은 수를 쓰고 덧셈식을 써 보세요.

3 더하기 3은 6과 같습니다.
3과 3의 합은 6입니다.
식 $3+3=6$

6 더하기 2는 8과 같습니다.
6과 2의 합은 8입니다.
식 $6+2=8$

5 더하기 4는 9와 같습니다.
5와 4의 합은 9입니다.
식 $5+4=9$

▥ 그림을 보고 덧셈식을 써 보세요.

$1+4=5$
흰 꽃 1송이와 노란 꽃 4송이가 있습니다.
꽃은 모두 5송이입니다.

$3+1=4$
또는 $1+3=4$

$2+4=6$
또는 $4+2=6$

$5+2=7$
또는 $2+5=7$

$3+5=8$

$4+3=7$

16·17쪽

30 덧셈식 만들기

월 일

■ 빈칸에 알맞은 수를 쓰고 덧셈식을 써 보세요.

주차장에 자동차가 2대 있는데 2대 더 들어와서 자동차는 모두 $\boxed{4}$ 대입니다.

2 더하기 2는 4와 같습니다.
2와 2의 합은 4입니다.

$\boxed{2} + \boxed{2} = \boxed{4}$

노란색 별이 $\boxed{3}$ 개, 파란색 별이 $\boxed{4}$ 개 있어서 별은 모두 $\boxed{7}$ 개입니다.

$\boxed{3} + \boxed{4} = \boxed{7}$

모양이 $\boxed{3}$ 개, 모양이 $\boxed{2}$ 개 이므로 모양은 모두 $\boxed{5}$ 개입니다.

$\boxed{3} + \boxed{2} = \boxed{5}$

■ 그림을 보고 덧셈식을 써 보세요.

$\boxed{4} + \boxed{2} = \boxed{6}$
또는 2 4

$\boxed{5} + \boxed{1} = \boxed{6}$
또는 1 5

$\boxed{2} + \boxed{5} = \boxed{7}$
또는 5 2

$\boxed{4} + \boxed{3} = \boxed{7}$
또는 3 4

$\boxed{4} + \boxed{4} = \boxed{8}$

$\boxed{4} + \boxed{5} = \boxed{9}$
또는 5 4

18쪽

■ ○를 더 그리고 그 수에 알맞게 덧셈식을 써 보세요.

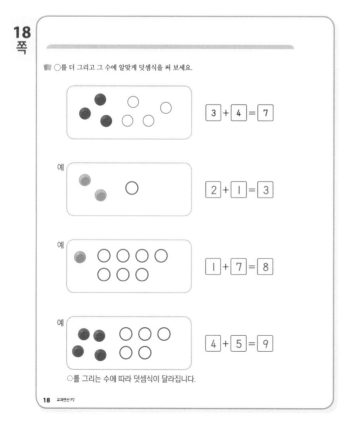

$\boxed{3} + \boxed{4} = \boxed{7}$

예

$\boxed{2} + \boxed{1} = \boxed{3}$

예

$\boxed{1} + \boxed{7} = \boxed{8}$

예

$\boxed{4} + \boxed{5} = \boxed{9}$

○를 그리는 수에 따라 덧셈식이 달라집니다.

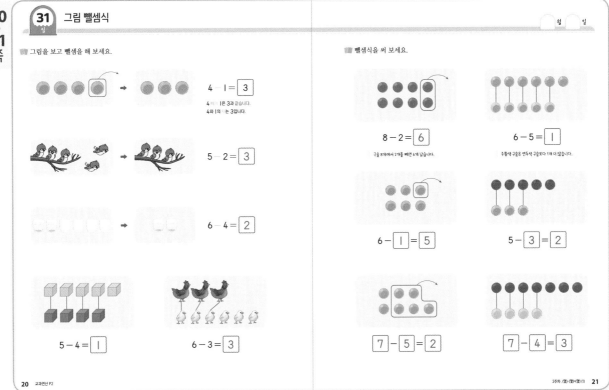

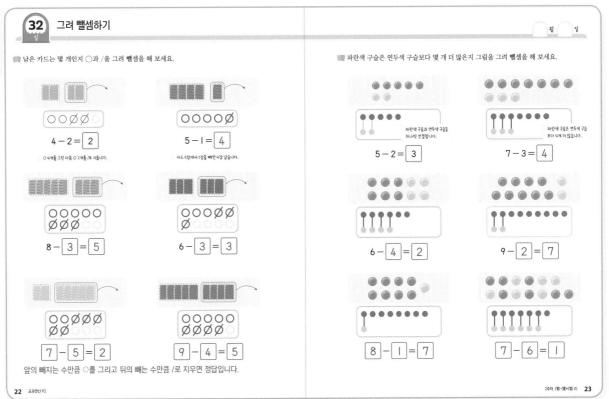

앞의 빼지는 수만큼 ○를 그리고 뒤의 빼는 수만큼 /로 지우면 정답입니다.

정답

33 가르기와 뺄셈

월 일

■ 빈칸에 알맞은 수를 쓰고 뺄셈을 해 보세요.

```
      6
    ↙   ↘
   4     2
```
6은 4와 2로 가르기 할 수 있습니다.
6에서 4를 빼면 2가 됩니다.

$6 - 4 = 2$

```
      4
    ↙   ↘
   1     3
```
$4 - 1 = 3$

```
      9
    ↙   ↘
   5     4
```
$9 - 5 = 4$
또는 4   5

```
      7
    ↙   ↘
   2     5
```
$7 - 2 = 5$
또는 5   2

```
      5
    ↙   ↘
   3     2
```
$5 - 3 = 2$
또는 2   3

```
      8
    ↙   ↘
   4     4
```
$8 - 4 = 4$

■ 뺄셈을 해 보세요.

$4 - 2 = 2$ $6 - 3 = 3$

$9 - 1 = 8$ $7 - 3 = 4$

$8 - 2 = 6$ $5 - 4 = 1$

$6 - 2 = 4$ $9 - 3 = 6$

$8 - 5 = 3$ $3 - 1 = 2$

$7 - 6 = 1$ $9 - 4 = 5$

$5 - 2 = 3$ $8 - 1 = 7$

34 뺄셈식 쓰기

월 일

■ 빈칸에 알맞은 수를 쓰고 뺄셈식을 써 보세요.

8 빼기 2는 6과 같습니다.
8과 2의 차는 6입니다.
식 $8 - 2 = 6$

6 빼기 5는 1과 같습니다.
6과 5의 차는 1입니다.
식 $6 - 5 = 1$

6 빼기 3은 3과 같습니다.
6과 3의 차는 3입니다.
식 $6 - 3 = 3$

■ 그림을 보고 뺄셈식을 써 보세요.

$5 - 3 = 2$

$6 - 1 = 5$
또는 $6 - 5 = 1, 5 - 1 = 4$

$8 - 4 = 4$
또는 $4 - 4 = 0$

$8 - 3 = 5$

$6 - 3 = 3$
또는 $9 - 3 = 6, 9 - 6 = 3$

$6 - 2 = 4$
또는 $8 - 2 = 6, 8 - 6 = 2$

35 뺄셈식 만들기

■ 빈칸에 알맞은 수를 쓰고 뺄셈식을 써 보세요.

■ 그림을 보고 뺄셈식을 써 보세요.

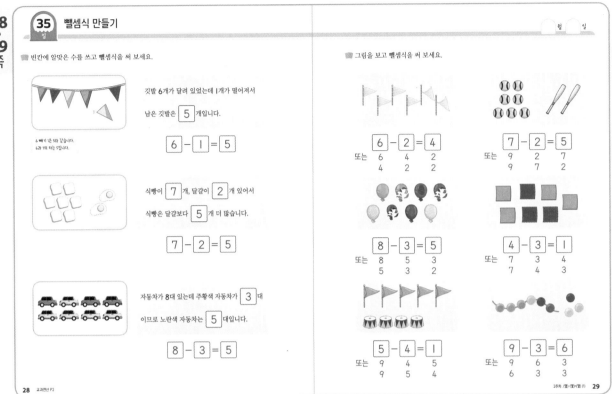

깃발 6개가 달려 있었는데 1개가 떨어져서

남은 깃발은 5 개입니다.

6 − 1 = 5

6 빼기 1은 5와 같습니다.
6과 1의 차는 5입니다.

식빵이 7 개, 달걀이 2 개 있어서

식빵은 달걀보다 5 개 더 많습니다.

7 − 2 = 5

자동차가 8대 있는데 주황색 자동차가 3 대

이므로 노란색 자동차는 5 대입니다.

8 − 3 = 5

6 − 2 = 4
또는 6 4 2
     4 2 2

7 − 2 = 5
또는 9 2 7
     9 7 2

8 − 3 = 5
또는 8 5 3
     5 3 2

4 − 3 = 1
또는 7 3 4
     7 3 4

5 − 4 = 1
또는 9 4 5
     9 5 4

9 − 3 = 6
또는 9 6 3
     6 3 3

■ /로 구슬 몇 개를 지우고 그 수에 알맞게 뺄셈식을 써 보세요.

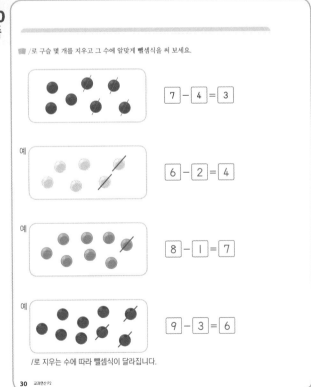

7 − 4 = 3

예
6 − 2 = 4

예
8 − 1 = 7

예
9 − 3 = 6

/로 지우는 수에 따라 뺄셈식이 달라집니다.

36 0이 있는 덧셈

월 일

■ 빈칸에 알맞은 수를 쓰고 덧셈을 해 보세요.

손가락을 하나도 펼치지 않았다가 5개를
펼쳤더니 펼친 손가락은 모두 5 개입니다.

0에 어떤 수를 더해도 합은 같습니다.

$0 + 5 = 5$

바구니에 딸기 7개가 있는데 딸기를 더
넣지 않아서 딸기는 모두 7 개입니다.

어떤 수에 0을 더해도 합은 같습니다.

$7 + 0 = 7$

가지가 왼쪽 접시에 5 개, 오른쪽 접시에
없으므로 가지는 모두 5 개입니다.

$5 + 0 = 5$

■ 덧셈을 해 보세요.

$2 + 0 = 2$ $1 + 0 = 1$

$0 + 7 = 7$ $0 + 6 = 6$

$9 + 0 = 9$ $3 + 0 = 3$

$0 + 5 = 5$ $0 + 9 = 9$

$3 + 0 = 3$ $0 + 8 = 8$

$0 + 7 = 7$ $4 + 0 = 4$

$8 + 0 = 8$ $0 + 2 = 2$

37 연속 덧셈

월 일

■ 덧셈을 해 보세요.

$3 + 1 = 4$

$3 + 2 = 5$

$3 + 3 = 6$

$3 + 4 = 7$

더하는 수가 1씩 커지면 합도 1씩 커집니다.

$0 + 6 = 6$

$1 + 6 = 7$

$2 + 6 = 8$

$3 + 6 = 9$

$1 + 5 = 6$

$2 + 4 = 6$

$3 + 3 = 6$

$4 + 2 = 6$

$5 + 1 = 6$

앞의 더해지는 수가 1 커지고,
뒤의 더하는 수가 1 작아지면 합은 같습니다.

$7 + 0 = 7$

$6 + 1 = 7$

$5 + 2 = 7$

$4 + 3 = 7$

$3 + 4 = 7$

■ 덧셈을 해 보세요.

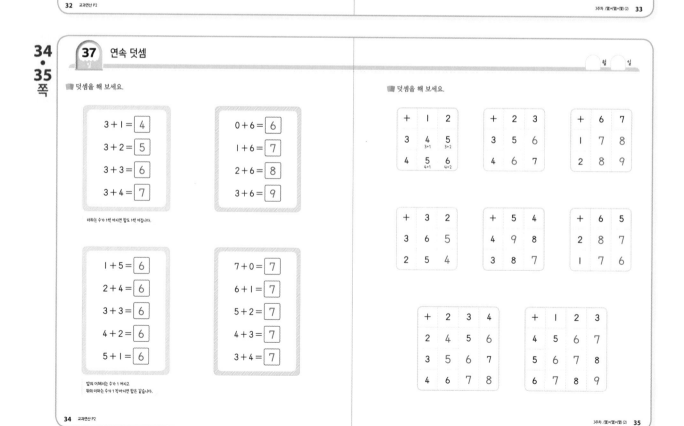

+	1	2
3	4 (3+1)	5 (3+2)
4	5 (4+1)	6 (4+2)

+	2	3
3	5	6
4	6	7

+	6	7
1	7	8
2	8	9

+	3	2
3	6	5
2	5	4

+	5	4
4	9	8
3	8	7

+	6	5
2	8	7
1	7	6

+	2	3	4
2	4	5	6
3	5	6	7
4	6	7	8

+	1	2	3
4	5	6	7
5	6	7	8
6	7	8	9

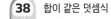

36·37쪽

38 합이 같은 덧셈식

■ 합이 같은 것끼리 이어 보세요.

3+4		0+6
3+3		4+1
2+3		5+2

1+2		1+4
3+1		3+0
3+2		2+2

4+4		5+4
7+0		6+1
3+6		1+7

7+2		8+1
4+3		2+6
5+3		2+5

■ 합이 같은 덧셈식을 써 보세요.

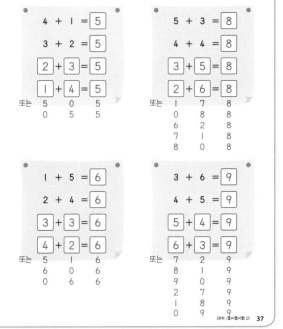

| 4 + 1 = 5 |
| 3 + 2 = 5 |
| 2 + 3 = 5 |
| 1 + 4 = 5 |

또는
5 0 5
0 5 5

| 5 + 3 = 8 |
| 4 + 4 = 8 |
| 3 + 5 = 8 |
| 2 + 6 = 8 |

또는
1 7 8
0 8 8
6 2 8
7 1 8
8 0 8

| 1 + 5 = 6 |
| 2 + 4 = 6 |
| 3 + 3 = 6 |
| 4 + 2 = 6 |

또는
5 1 6
6 0 6
0 6 6

| 3 + 6 = 9 |
| 4 + 5 = 9 |
| 5 + 4 = 9 |
| 6 + 3 = 9 |

또는
7 2 9
8 1 9
1 8 9
2 7 9
1 8 9
0 9 9

38·39쪽

39 식 완성하기

■ 수 카드 중 2장을 골라 써넣어 덧셈식을 완성해 보세요.

| 3 | 4 | 2 |

3 + 2 = 5

| 6 | | 2 |

6 + 2 = 8
또는 2 6

| 8 | 1 | 2 |

8 + 1 = 9
또는 1 8

| 4 | 5 | 3 |

5 + 3 = 8
또는 3 5

| 1 | 4 | 5 |

1 + 5 = 6
또는 5 1

| 2 | | 2 |

2 + 2 = 4

| 2 | 3 | 5 |

2 + 5 = 7
또는 5 2

| 4 | 3 | |

4 + 5 = 9
또는 5 4

■ 수 카드에 적힌 수를 한 번씩 써넣어 덧셈식 2개를 완성해 보세요.

| 1 | 2 | 3 | 4 |

1 + 4 = 5
2 + 3 = 5
또는 3 2

| 1 | 3 | 6 | 3 |

3 + 3 = 6
1 + 6 = 7
또는 6 1

| 4 | 1 | 4 | 5 |
또는 5 1

1 + 5 = 6
4 + 4 = 8

| 2 | 3 | 4 | 5 |
또는 5 2

2 + 5 = 7
3 + 4 = 7
또는 4 3

| 3 | 7 | 1 | 6 |
또는 1 7

7 + 1 = 8
3 + 6 = 9
또는 6 3

| 2 | 4 | 3 | 7 |
또는 3 4

4 + 3 = 7
2 + 7 = 9
또는 7 2

정답 **9**

정답

40·41쪽

40 이야기하기

📖 물음에 답하세요.

바둑돌은 모두 몇 개일까요?

흰 바둑돌이 4개, 검은 바둑돌이 3개 있습니다.
바둑돌은 모두 7개 있습니다.

식 4 + [3] = [7] 답 [7] 개

펼친 손가락은 모두 몇 개일까요?

식 [1] + [4] = [5] 답 [5] 개
또는 4 1

화살을 과녁에 쏘았습니다. 과녁에 맞힌 점수는 몇 점일까요?

식 [5] + [3] = [8] 답 [8] 점
또는 3 5

📖 물음에 답하세요.

연못에 개구리 4마리가 있는데 개구리 1마리가 연못에 더 들어 왔습니다. 연못에 있는 개구리는 모두 몇 마리일까요?

식 [4] + 1 = [5] 답 [5] 마리

재민이는 구슬을 3개 가지고 있고 민주는 5개 가지고 있습니다. 두 사람이 가진 구슬은 모두 몇 개일까요?

식 [3] + [5] = [8] 답 [8] 개
또는 5 3

놀이터에서 미끄럼틀을 타는 어린이가 2명, 시소를 타는 어린가 4명 있습니다. 미끄럼틀과 시소를 타는 어린이는 모두 몇 명일까요?

식 [2] + [4] = [6] 답 [6] 명
또는 4 2

버스에 6명이 타고 있었는데 공원 앞 정류장에서 3명이 더 탔습니다. 버스에 탄 사람은 모두 몇 명일까요?

식 [6] + [3] = [9] 답 [9] 명

42쪽

📖 물음에 답하세요.

성주는 동화책을 어제 5쪽 읽고 오늘 4쪽 읽었습니다. 성주가 어제와 오늘 읽은 동화책은 모두 몇 쪽일까요?

식 [5] + [4] = [9] 답 [9] 쪽
또는 4 5

어머니께서 사 오신 귤을 2개 먹었더니 6개 남았습니다. 어머니께서 사 오신 귤은 모두 몇 개였을까요?

(먹은 귤)+(남은 귤)=(사 오신 귤) 식 [2] + [6] = [8] 답 [8] 개
또는 6 2

7명이 탄 버스가 정류장에 섰는데 타는 사람이 아무도 없었습니다. 버스에 타고 있는 사람은 모두 몇 명일까요?

식 [7] + [0] = [7] 답 [7] 명

아무도 타고 있지 않은 자동차에 4명이 탔습니다. 자동차에 타고 있는 사람은 모두 몇 명일까요?

식 [0] + [4] = [4] 답 [4] 명

41 0이 있는 뺄셈

빈칸에 알맞은 수를 쓰고 뺄셈을 해 보세요.

손가락 5개를 펼쳤다가 하나도 접지 않았습니다. 펼쳐져 있는 손가락은 5 개입니다.

어떤 수에서 0을 빼도 차는 변하지 않습니다.

$$5 - 0 = 5$$

풍선 6개가 있었는데 6개 모두 날아갔습니다. 남은 풍선은 0 개입니다.

어떤 수에서 전체를 빼면 차는 0이 됩니다.

$$6 - 6 = 0$$

가지가 왼쪽 접시에 3 개, 오른쪽 접시에 3 개 있어서 두 접시에 있는 가지 수의 차는 0 입니다.

$$3 - 3 = 0$$

뺄셈을 해 보세요.

$$1 - 0 = 1 \qquad 4 - 0 = 4$$
$$3 - 3 = 0 \qquad 7 - 7 = 0$$
$$9 - 0 = 9 \qquad 8 - 0 = 8$$
$$9 - 9 = 0 \qquad 5 - 5 = 0$$
$$5 - 0 = 5 \qquad 2 - 0 = 2$$
$$4 - 4 = 0 \qquad 8 - 8 = 0$$
$$7 - 0 = 7 \qquad 3 - 0 = 3$$

---

42 연속 뺄셈

뺄셈을 해 보세요.

$$4 - 0 = 4$$
$$4 - 1 = 3$$
$$4 - 2 = 2$$
$$4 - 3 = 1$$

빼는 수가 1씩 커지면 차는 1씩 작아집니다.

$$9 - 9 = 0$$
$$9 - 8 = 1$$
$$9 - 7 = 2$$
$$9 - 6 = 3$$

빼는 수가 1씩 작아지면 차는 1씩 커집니다.

$$3 - 1 = 2$$
$$4 - 2 = 2$$
$$5 - 3 = 2$$
$$6 - 4 = 2$$
$$7 - 5 = 2$$

앞의 빼지는 수와 뒤의 빼는 수를 똑같이 크게 하면 차는 변하지 않습니다.

$$9 - 4 = 5$$
$$8 - 3 = 5$$
$$7 - 2 = 5$$
$$6 - 1 = 5$$
$$5 - 0 = 5$$

뺄셈을 해 보세요.

−	1	2
3	2	1
	3-1	3-2
4	3	2
	4-1	4-2

−	2	3
5	3	2
6	4	3

−	3	4
8	5	4
9	6	5

−	2	1
3	1	2
2	0	1

−	5	4
7	2	3
6	1	2

−	3	2
9	6	7
8	5	6

−	1	2	3
7	6	5	4
8	7	6	5
9	8	7	6

−	3	4	5
5	2	1	0
6	3	2	1
7	4	3	2

48·49쪽

43 차가 같은 뺄셈식

월 일

■ 차가 같은 것 또는 합과 차가 같은 것끼리 이어 보세요.

3 − 1		4 − 3
6 − 5		5 − 3
5 − 2		6 − 3

5 − 0		8 − 2
8 − 1		9 − 2
9 − 3		9 − 4

1 + 3		6 − 0
3 + 3		8 − 3
0 + 5		6 − 2

3 + 4		7 − 2
2 + 3		9 − 0
1 + 8		8 − 1

■ 차가 같은 뺄셈식을 써 보세요.

| 5 − 1 = 4 |
| 6 − 2 = 4 |
| 7 − 3 = 4 |
| 8 − 4 = 4 |
또는
9 5 4
4 0 4

| 8 − 3 = 5 |
| 7 − 2 = 5 |
| 6 − 1 = 5 |
| 5 − 0 = 5 |
또는
9 4 5

| 9 − 7 = 2 |
| 8 − 6 = 2 |
| 7 − 5 = 2 |
| 6 − 4 = 2 |
또는
5 3 2
4 2 2
3 1 2
2 0 2

| 6 − 3 = 3 |
| 7 − 4 = 3 |
| 8 − 5 = 3 |
| 9 − 6 = 3 |
또는
5 2 3
4 1 3
3 0 3

48 교과연산 P2

4주차 (몇)−(몇)+(몇) (2) **49**

50·51쪽

44 식 완성하기

월 일

■ 수 카드 중 2장을 골라 써넣어 뺄셈식을 완성해 보세요.

1 3 6
6 − 1 = 5

2 4 8
8 − 4 = 4

8 4 5
8 − 5 = 3

8 9 6
9 − 8 = 1

2 6 9
9 − 2 = 7

1 7 8
7 − 1 = 6

7 3 4
7 − 3 = 4

4 9 6
9 − 4 = 5

■ 수 카드에 적힌 수를 한 번씩 써넣어 뺄셈식 2개를 완성해 보세요.

2 3 5 6
6 − 3 = 3
5 − 2 = 3

4 5 8 9
8 − 4 = 4
9 − 5 = 4

2 8 1 6
6 − 1 = 5
8 − 2 = 6

4 5 5 7
5 − 4 = 1
7 − 5 = 2

3 4 5 8
5 − 3 = 2
8 − 4 = 4

2 3 8 9
8 − 3 = 5
9 − 2 = 7

50 교과연산 P2

4주차 (몇)−(몇)+(몇) (2) **51**

12 교과연산 P2

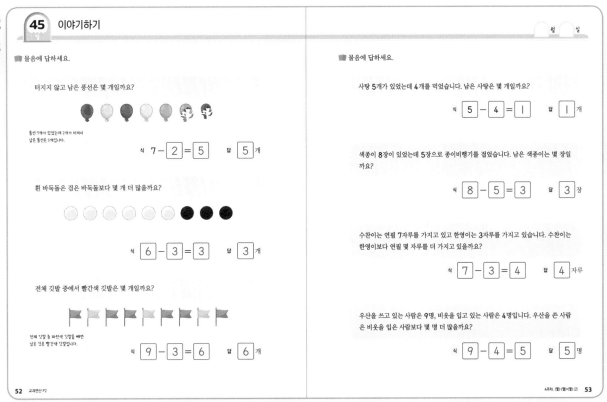

45 이야기하기

월 일

물음에 답하세요.

터지지 않고 남은 풍선은 몇 개일까요?

풍선 7개가 있었는데 2개가 터져서
남은 풍선은 5개입니다.

식 $7 - \boxed{2} = \boxed{5}$ 답 $\boxed{5}$ 개

흰 바둑돌은 검은 바둑돌보다 몇 개 더 많을까요?

식 $\boxed{6} - \boxed{3} = \boxed{3}$ 답 $\boxed{3}$ 개

전체 깃발 중에서 빨간색 깃발은 몇 개일까요?

전체 깃발 중 파란색 깃발을 빼면
남은 것은 빨간색 깃발입니다.

식 $\boxed{9} - \boxed{3} = \boxed{6}$ 답 $\boxed{6}$ 개

물음에 답하세요.

사탕 5개가 있었는데 4개를 먹었습니다. 남은 사탕은 몇 개일까요?

식 $\boxed{5} - \boxed{4} = \boxed{1}$ 답 $\boxed{1}$ 개

색종이 8장이 있었는데 5장으로 종이비행기를 접었습니다. 남은 색종이는 몇 장일까요?

식 $\boxed{8} - \boxed{5} = \boxed{3}$ 답 $\boxed{3}$ 장

수찬이는 연필 7자루를 가지고 있고 한영이는 3자루를 가지고 있습니다. 수찬이는 한영이보다 연필 몇 자루를 더 가지고 있을까요?

식 $\boxed{7} - \boxed{3} = \boxed{4}$ 답 $\boxed{4}$ 자루

우산을 쓰고 있는 사람은 9명, 비옷을 입고 있는 사람은 4명입니다. 우산을 쓴 사람은 비옷을 입은 사람보다 몇 명 더 많을까요?

식 $\boxed{9} - \boxed{4} = \boxed{5}$ 답 $\boxed{5}$ 명

물음에 답하세요.

버스에 9명이 타고 있었는데 학교 앞 정류장에서 7명이 내렸습니다. 버스에 남은 사람은 몇 명일까요?

식 $\boxed{9} - \boxed{7} = \boxed{2}$ 답 $\boxed{2}$ 명

노란색과 초록색 색종이가 모두 7장 있습니다. 노란색 색종이가 1장이라면 초록색 색종이는 몇 장일까요?

식 $\boxed{7} - \boxed{1} = \boxed{6}$ 답 $\boxed{6}$ 장

5명이 탄 버스가 정류장에 섰는데 내리는 사람이 아무도 없었습니다. 버스에 남은 사람은 몇 명일까요?

식 $\boxed{5} - \boxed{0} = \boxed{5}$ 답 $\boxed{5}$ 명

버스에 8명이 타고 있었는데 마지막 정류장에서 8명이 모두 내렸습니다. 버스에 남은 사람은 몇 명일까요?

식 $\boxed{8} - \boxed{8} = \boxed{0}$ 답 $\boxed{0}$ 명

46 두 수의 합과 차

두 수의 합과 차를 구해 보세요.

| 6 | 2 | 차는 큰 수에서 작은 수를 빼야 합니다. | 5 | 4 |

합: 8 (6+2=8)　차: 4 (6-2=4)
합: 9　차: 1

| 7 | 1 | | 3 | 4 |

합: 8　차: 6
합: 7　차: 1

| 3 | 5 | | 2 | 7 |

합: 8　차: 2
합: 9　차: 5

빈칸에 + 또는 − 를 알맞게 써넣으세요.

$6 - 2 = 4$　　$3 + 5 = 8$

$7 + 2 = 9$　　$6 - 3 = 3$

$0 + 4 = 4$　　$8 - 3 = 5$

$3 - 3 = 0$　　$2 + 2 = 4$

$1 + 8 = 9$　　$7 - 3 = 4$

$9 - 4 = 5$　　$5 + 1 = 6$

$2 - 1 = 1$　　$6 - 3 = 3$

47 식 만들기

세 수를 모두 이용하여 덧셈식과 뺄셈식을 하나씩 써 보세요.

| 3 | 7 | 4 |

$3 + 4 = 7$　또는 7 3 4　　$7 - 4 = 3$

| 2 | 6 | 8 |

또는 6 2 8　$2 + 6 = 8$　$8 - 6 = 2$　또는 8 2 6

| 9 | 3 | 6 |

또는 6 3 9　$3 + 6 = 9$　$9 - 6 = 3$　또는 9 3 6

| 6 | 1 | 5 |

또는 5 1 6　$1 + 5 = 6$　$6 - 5 = 1$　또는 6 1 5

세 수를 모두 이용하여 덧셈식과 뺄셈식을 하나씩 써 보세요.

| 8 | 7 | 1 |

$7 + 1 = 8$　또는 1 7 8　　$8 - 7 = 1$　또는 8 1 7

| 2 | 5 | 3 |

또는 3 2 5　$2 + 3 = 5$　$5 - 3 = 2$　또는 5 2 3

| 2 | 5 | 7 |

또는 5 2 7　$2 + 5 = 7$　$7 - 5 = 2$　또는 7 2 5

| 9 | 4 | 5 |

또는 5 4 9　$4 + 5 = 9$　$9 - 4 = 5$　또는 9 5 4

48 합과 차가 크고 작은 식

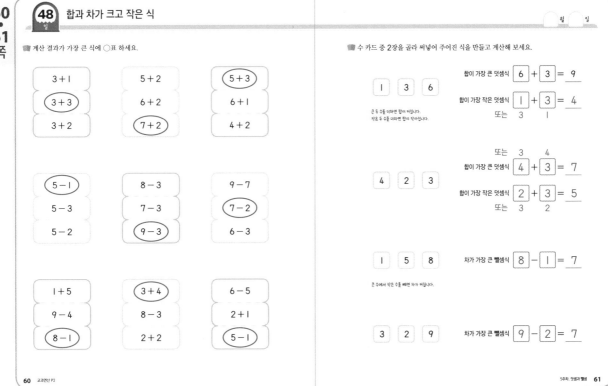

계산 결과가 가장 큰 식에 ○표 하세요.

$3+1$
$(3+3)$
$3+2$

$5+2$
$6+2$
$(7+2)$

$(5+3)$
$6+1$
$4+2$

$(5-1)$
$5-3$
$5-2$

$8-3$
$7-3$
$(9-3)$

$9-7$
$(7-2)$
$6-3$

$1+5$
$9-4$
$(8-1)$

$(3+4)$
$8-3$
$2+2$

$6-5$
$2+1$
$(5-1)$

수 카드 중 2장을 골라 써넣어 주어진 식을 만들고 계산해 보세요.

| 1 | 3 | 6 |

큰 두 수를 더하면 합이 커집니다.
작은 두 수를 더하면 합이 작아집니다.

합이 가장 큰 덧셈식 $6 + 3 = 9$
합이 가장 작은 덧셈식 $1 + 3 = 4$
또는 3   1

| 4 | 2 | 3 |

또는 3   4
합이 가장 큰 덧셈식 $4 + 3 = 7$
합이 가장 작은 덧셈식 $2 + 3 = 5$
또는 3   2

| 1 | 5 | 8 |

큰 수에서 작은 수를 빼면 차가 커집니다.

차가 가장 큰 뺄셈식 $8 - 1 = 7$

| 3 | 2 | 9 |

차가 가장 큰 뺄셈식 $9 - 2 = 7$

49 이야기하기 (1)

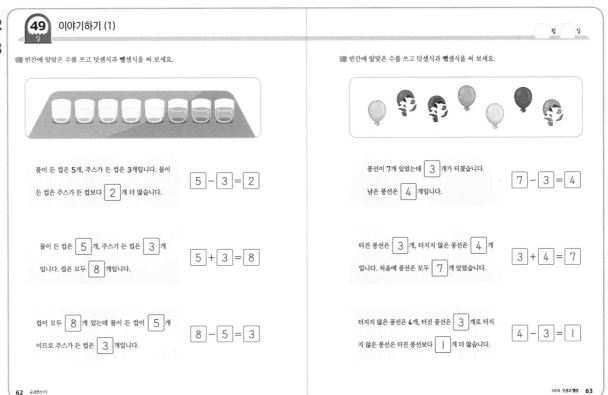

빈칸에 알맞은 수를 쓰고 덧셈식과 뺄셈식을 써 보세요.

물이 든 컵은 5개, 주스가 든 컵은 3개입니다. 물이
든 컵은 주스가 든 컵보다 2 개 더 많습니다.

$5 - 3 = 2$

물이 든 컵은 5 개, 주스가 든 컵은 3 개
입니다. 컵은 모두 8 개입니다.

$5 + 3 = 8$

컵이 모두 8 개 있는데 물이 든 컵이 5 개
이므로 주스가 든 컵은 3 개입니다.

$8 - 5 = 3$

빈칸에 알맞은 수를 쓰고 덧셈식과 뺄셈식을 써 보세요.

풍선이 7개 있었는데 3 개가 터졌습니다.
남은 풍선은 4 개입니다.

$7 - 3 = 4$

터진 풍선은 3 개, 터지지 않은 풍선은 4 개
입니다. 처음에 풍선은 모두 7 개 있었습니다.

$3 + 4 = 7$

터지지 않은 풍선은 4개, 터진 풍선은 3 개로 터지
지 않은 풍선은 터진 풍선보다 1 개 더 많습니다.

$4 - 3 = 1$

50 강 이야기하기 (2)

월 일

📖 물음에 답하세요.

바둑돌은 모두 몇 개일까요?

흰 바둑돌은 4개,
검은 바둑돌은 5개 있습니다.
바둑돌은 모두 9개 있습니다.

식 $4+5=9$ 답 9 개

검은 바둑돌은 흰 바둑돌보다 몇 개 더 많을까요?

식 $5-4=1$ 답 1 개

전체 바둑돌 중 흰 바둑돌은 몇 개일까요?

식 $9-5=4$ 답 4 개

📖 물음에 답하세요.

배구공과 축구공은 모두 몇 개일까요?

식 $3+4=7$ 답 7 개
또는 $4+3=7$

축구공과 농구공은 모두 몇 개일까요?

식 $4+2=6$ 답 6 개
또는 $2+4=6$

배구공은 농구공보다 몇 개 더 많을까요?

식 $3-2=1$ 답 1 개

66 쪽

📖 물음에 답하세요.

주아는 사탕을 6개, 민석이는 3개 가지고 있었는데 주아가 민석이에게 사탕 2개를 주었습니다. 주아와 민석이는 사탕을 각각 몇 개 가지게 될까요?

주아의 사탕은 2개 줄어들고,
민석이의 사탕은 2개 늘어납니다.

주아 식 $6-2=4$ 답 4 개

민석 식 $3+2=5$ 답 5 개

개구리가 연못 안에 4마리, 연못 밖에 5마리 있었는데 1마리가 연못 안으로 들어왔습니다. 연못 안과 밖에 개구리는 각각 몇 마리 있게 될까요?

안 식 $4+1=5$ 답 5 마리

밖 식 $5-1=4$ 답 4 마리

사과가 상자 안에 9개 있고 봉지에는 하나도 없습니다. 상자 안에 있는 사과 3개를 봉지에 담았습니다. 상자와 봉지에는 사과가 각각 몇 개 있게 될까요?

상자 식 $9-3=6$ 답 6 개

봉지 식 $0+3=3$ 답 3 개

하루 한 장 75일
집중 완성

교과
연산

하루 한 장 75일
집중 완성

교과연산

수특강   집중연산

7세~초1

P0   +   P1, P2, P3

"연산을 이해하려면 수를 먼저 이해해야 합니다."

"계산은 문제를 해결하는 하나의 과정입니다."

"교과연산은 상황을 판단하는 능력을 길러줍니다."